La reine des bisous

Pour Princesse Sarah

ISBN 978-2-211-07499-5
Première édition dans la collection *lutin poche* : mai 2004
© 2002, l'école des loisirs, Paris
Texte français de Claude Lager et Maurice Lomré
Loi numéro 49.956 du 16 juillet 1949 sur les publications
destinées à la jeunesse : août 2003
Dépôt légal : décembre 2013
Imprimé en France par Pollina, 85400 Luçon - n° L66935

Kristien Aertssen

La reine des bisous

Pastel
lutin poche de l'école des loisirs
11, rue de Sèvres, Paris 6ᵉ

Comme chaque matin, la reine attend des visiteurs importants.
«Maman», dit sa petite princesse, «je voudrais…»
«Je n'ai pas le temps, ma chérie. Demande à ta gouvernante.»
«Mais Maman, je voudrais juste quelques bisous…»
«J'ai trop de travail, ma chérie. Prends mon avion et essaie
de trouver la reine des bisous.»

Aux commandes de l'avion, la princesse se sent aussi légère qu'un oiseau. "Mais où cette reine des bisous pourrait-elle bien se cacher ?" se demande la princesse. "Peut-être dans ce château qui ressemble à un gâteau ?"

Une reine aux cheveux crème fraîche sort de la bonbonnière.
«Bonjour, Madame», dit la princesse. «C'est vous la reine des bisous?»
«Non, mon chou, je suis la reine des gâteaux.»

«Si tu veux, je vais te montrer comment devenir experte en pâtisserie.»
«D'accord», dit la princesse.

«Tu es très douée, mon canard en sucre.
Nous allons nous régaler !»

La princesse s'amuse vraiment bien mais elle doit partir.
La reine lui offre alors quelques gâteaux pour sa maman.
«Au revoir, Reine des gâteaux, et merci beaucoup!»

Pendant ce temps-là, dans son palais,
Maman reine grignote des biscuits.
Elle est épuisée. Quelle journée fatigante!

La princesse remonte à bord de l'avion et, depuis là-haut,
elle aperçoit un arbre peuplé de chats.
"Quand on aime les chats, on aime sûrement les caresses",
se dit la princesse. "Ici, je trouverai peut-être la reine des bisous."

«Bonjour, Madame», dit la princesse.
«C'est vous la reine des bisous?»
«Non, ma puce, je suis la reine des chats»,
lui répond une belle dame noire.
«Je recueille les chats perdus pour les offrir
aux enfants qui se sentent seuls.»

La princesse s'amuse vraiment bien mais elle doit partir.
La reine lui offre alors un chaton pour lui tenir compagnie.
«Au revoir, Reine des chats, et merci beaucoup!»

Pendant ce temps-là,
dans son palais,
Maman reine
se sent un peu seule.
Elle n'a même pas
un vrai chat à qui parler!

"Quel château rigolo !" se dit la princesse,
de retour dans le ciel. "Une reine qui s'amuse
doit sûrement aimer les bisous…
Allons voir ça de plus près."

« Donc, votre spécialité, c'est le jeu ? »
demande la princesse en lançant les dés.
« Eh oui, ma poupée, je suis la reine des jouets. »

La princesse s'amuse vraiment bien mais elle doit partir.
La reine lui offre alors un ballon pour jouer avec sa maman.
«Au revoir, Reine des jouets, et merci beaucoup!»

Pendant ce temps-là, dans son palais,
Maman reine joue toute seule.
Ce n'est pas amusant. "Je me demande
où est ma petite fille", se dit-elle.

Tout là-haut, la princesse commence à tourner en rond.
Elle ne sait plus où aller. «Vais-je enfin trouver la reine des bisous?»
«Si on interrogeait la dame au chapeau», suggère le chat.

«Connaissez-vous la reine des bisous?» demande la princesse.
«Non, ma rose. Moi, je donne des bisous à mes fleurs
pour les aider à grandir.»
«Vous êtes la reine des fleurs, alors?»
«Oui, c'est moi. Viens, je vais te montrer mon jardin.»

La princesse s'amuse vraiment bien mais elle doit partir.
La reine lui offre alors quelques fleurs.
«Au revoir, Reine des fleurs, et merci beaucoup!»

Pendant ce temps-là,
dans son palais,
Maman reine se sent
de plus en plus triste.
Sa petite fille lui manque
terriblement.

La nuit commence à tomber.
Il reste peu de temps à la princesse
pour trouver la reine des bisous.
Là-bas, les lumières brillent encore.
Il lui reste une chance…

«Bonsoir, Madame», dit la princesse. «C'est vous la reine des bisous?»
«Non, ma petite étoile, je suis la reine de la nuit. Je raconte des histoires
pour chasser les cauchemars. Viens, je vais te lire mon conte préféré:
"Il était une fois une reine qui se sentait très seule dans son palais…"»

La petite princesse songe aussitôt à sa maman.
«Je dois partir», s'écrie-t-elle. «Au revoir,
Reine de la nuit, et merci beaucoup!»

«Vite, petit chat, rentrons à la maison !
Je n'ai pas trouvé la reine des bisous, mais tant pis.
C'est Maman que je veux !»

Le petit avion rouge glisse dans la nuit. Puis un nouveau jour se lève.
"J'arrive, Maman, j'arrive!"

«Regarde, Maman, je t'ai apporté des cadeaux…»
«Plus tard, mon trésor, plus tard. D'abord, je veux te donner des bisous.
Beaucoup de bisous!»

«Tu sais quoi, Maman ?
C'est **Toi** la reine des bisous !»